$$\frac{\begin{array}{c}60\\+25\end{array}}{85}$$

Les pouvoirs de Roxy

ses à :

Rim

Mahrouch

Winx CLUB

Les pouvoirs de Roxy

23

hachette
JEUNESSE

Bloom

C'est moi, Bloom, qui te raconte les aventures des Winx. À l'université d'Alféa où j'ai été élève, j'ai découvert peu à peu ma véritable identité. Je suis la fille du roi et de la reine de la planète Domino, qui a été détruite par les Sorcières Ancestrales. C'est ma sœur aînée, la nymphe Daphnée, qui m'a sauvée. Elle a trouvé sur Terre des parents adoptifs aimants à qui me confier. Aujourd'hui, je possède le formidable pouvoir de la flamme du dragon. Alors je suis en première ligne pour défendre la dimension magique et ses différentes planètes. Heureusement que je peux compter sur mes amies fidèles et solidaires : les Winx !

Belle, mon mini-animal, est un agneau magique. Adorable, non ?

Kiko est mon lapin apprivoisé. Il n'a aucun pouvoir magique et pourtant, je l'adore.

Stella

Originaire de la planète Solaria, la fée de la lune et du soleil a une très grande confiance en elle. Un peu trop, parfois ! Heureusement qu'elle est aussi vive que drôle.

Ginger, son mini-animal, est un chiot magique.

Flora

Fée de la nature, douce et généreuse, elle est à l'écoute des plantes et elle sait leur parler. Cela nous sort de nombreux mauvais pas !

Coco, son mini-animal, est un chaton magique.

Tecna

Directe et droite, elle est d'une grande débrouillardise. Normal, elle est la fée des sciences et des inventions. Elle maîtrise toutes les technologies, auxquelles elle ajoute un zeste de magie.

Chicko, son mini-animal, est un poussin magique.

Musa

Orpheline, la fée de la musique est très sensible et pleine d'imagination. Face au danger, sa musique devient souvent une arme !

Pepe, son mini-animal, est un ourson magique.

Layla

Venue de la planète Andros, la fée des sports est particulièrement courageuse. Elle est très rapide et n'a vraiment peur de rien !

Milly, son mini-animal, est un lapin magique.

Roxy

Elle vit sur Terre. Nous ne la connaissons pas très bien, mais j'ai l'impression qu'elle a quelque chose de magique en elle…

Mme Faragonda

L'université des fées est dirigée par l'adorable Mme Faragonda.

Au royaume de Magix, un lieu hors du temps et de l'espace, la magie est quelque chose de normal. En plus d'Alféa, il y a la Fontaine Rouge, l'école des Spécialistes. Sans eux, la vie serait beaucoup moins intéressante…

Prince Sky

Droit et honnête, l'héritier du royaume d'Éraklyon sait mieux que personne recréer un esprit d'équipe chez les garçons. Son amour me donne confiance et m'aide à triompher des pires obstacles.

Brandon

Il est aussi charmant que dynamique et spontané. Pas étonnant que Stella craque pour lui.

Riven

Il apprend à maîtriser son impulsivité et son orgueil. Il voit beaucoup moins la vie en noir depuis que Musa s'intéresse à lui.

Timmy

Un jeune homme astucieux qui se passionne pour la technique.
Avec Tecna, forcément, ils se comprennent au quart de tour.

Hélia

Un artiste plein de sensibilité. Flora n'en revient pas, qu'un garçon pareil puisse exister.

Nabu

Il vient de la même planète que Layla, Andros. Ils ont eu du mal à se comprendre, au début, mais maintenant, ils sont inséparables.

Convoité par les forces du mal,
Magix est le lieu d'affrontements terribles.
Les quatre sorciers du Cercle Noir
menacent la Dimension Magique...
et la Terre !

Ogron

Il est le chef du Cercle Noir.
C'est un sorcier tout-puissant,
dangereux et cruel. Il hait les Winx.

Anagan

Ce prédateur ne rêve que de
pouvoirs et de richesse.

Duman

Il peut se transformer en animal féroce à n'importe quel moment.

Gantlos

C'est un chasseur de fée qui aime détruire tout ce qui l'entoure.

Résumé des épisodes précédents

Mes amies et moi avons compris quelque chose d'important : il ne suffit pas de venir en aide aux humains pour qu'ils croient aux fées ! Nous devons surtout apprendre à nous mettre à leur place, afin de toucher leur cœur. Mais ce n'est vraiment pas facile !

De son côté, Roxy a pris confiance en elle. Au point qu'elle peut voler par ses propres moyens ! Quant à Musa, son audition se serait très bien passée sans la jalousie de Riven…

✫ ✬ ✫

Chapitre 1

Les voleurs acrobates

Nous nous promenons dans le centre-ville en compagnie de Roxy. Seule Layla n'est pas avec nous, car elle a été invitée par Nabu à un mystérieux rendez-vous.

Mes amies et moi sommes complètement découragées.

Flora vient d'aider une femme à apprécier la beauté des fleurs. Et Musa a montré à un jeune guitariste comment chanter sans avoir peur. Mais ni l'une ni l'autre n'ont cru ensuite qu'elles étaient des fées !

Soudain, mon attention est attirée par une télévision dans un magasin.

— Les voleurs acrobates narguent la police ! annonce le présentateur du journal. Le sentiment d'insécurité augmente à Gardenia.

Perplexe, je réfléchis à voix haute et déclare :

— Les Terriens ont vraiment besoin de nous. Mais comment faire pour qu'ils nous prennent au sérieux ?

Un peu plus loin dans le magasin, Tecna s'intéresse au film qui passe sur une autre chaîne. Il raconte l'histoire d'un super-héros masqué avec des pouvoirs extraordinaires...

— J'ai peut-être une idée, dit-elle.

Elle se tourne vers Roxy, les mains sur les hanches.

— Est-ce qu'ils sont connus, ces super-héros ?

— Très connus.

— Et admirés ?

— Oui, bien sûr.

Stella hausse les épaules.

— Leurs costumes sont ridicules.

— Peut-être, dit Tecna. Mais après tout, ils ont beaucoup de points communs avec nous. Ils ont des pouvoirs magiques et ils sauvent les gens...

J'interviens alors :

— Qu'est-ce que tu veux dire, Tecna ? Tu crois qu'il suffirait de passer pour des super-héroïnes pour que les gens croient en nous ?

— Pourquoi pas ? Ça vaut le coup d'essayer ! Tu ne crois pas, Bloom ?

— Oui, tu as raison. Donc, à

partir de maintenant, il ne faut plus dissimuler nos pouvoirs magiques !

Pleines d'une nouvelle énergie, nous survolons la ville. Soudain, nous apercevons un groupe d'hommes avec des cagoules. Ils sortent en courant d'une bijouterie, de gros sacs sur les épaules. À leur manière de bondir partout, nous comprenons qu'il s'agit des voleurs acrobates dont parlaient les informations.

Je me tourne vers mes amies.

— Allons-y, les Winx ! Saisissons cette occasion !

J'accélère, avant d'atterrir pile devant les voleurs.

— C'est nous, les fées du Winx Club ! Nous avons des pouvoirs magiques et vous ne pourrez pas nous échapper !

Mais les voleurs ne sont pas impressionnés. Ils se séparent : deux d'entre eux montent dans une voiture et les autres s'enfuient en courant dans plusieurs directions.

Flora, Stella, Musa et Tecna choisissent leurs ailes super-rapides, les Speedix. Moi, je reste avec Roxy qui n'est pas encore capable de voler aussi vite. Aux trousses d'un des voleurs, nous arrivons dans le quartier de la vieille ville.

Mais l'acrobate sait rebondir n'importe où, y compris sur le capot d'une voiture ou sur un toit. Et nous finissons par perdre sa trace.

Nous mettons pied à terre... quand il surgit derrière nous, et attrape Roxy par le bras !

— Bloom, aide-moi ! s'écrie-t-elle.

Je lance un sort.

— Aile de dragon !

Secoué, le voleur lâche Roxy. Au même moment, deux de ses

complices arrivent en courant,
poursuivis par Flora, Tecna et
Musa. Celles-ci déchaînent leurs
pouvoirs.

— Tonnerre d'été !
— Super-prisme !
— Onde sonore !

Je proteste :

— Non, Musa ! Ce sort est trop puissant pour des Terriens.

— Ne te fais pas de souci, Bloom. Il n'y a que le verre qui ne le supporte pas.

Elle déclenche son pouvoir magique. En effet, il brise quelques vitrines et fenêtres dans les environs mais, au moins, il arrête net les trois voleurs, étourdis par la secousse.

Chapitre 2

Une grosse dispute

Impressionnés, les passants se regroupent autour de nous pour nous applaudir. C'est alors que la voiture des deux derniers voleurs surgit. Stella, qui vole au-dessus, s'apprête à lancer un éclair de soleil sur leur pare-brise.

— Attention, messieurs ! Il ne faut jamais se trouver sur mon chemin sans porter des lunettes de soleil !

Flora tente d'intervenir.

— Non, Stella, c'est trop dangereux ! La voiture risque de blesser quelqu'un !

Trop tard. L'éclair aveugle le conducteur, qui fait une embardée, et heurte violemment une borne d'incendie. Une trombe d'eau en jaillit, provoquant une inondation !

Les passants se dépêchent de quitter les lieux. Heureusement, nous stoppons la fuite d'eau avec nos pouvoirs magiques. Hélas, pendant ce temps, les voleurs un peu sonnés reprennent leurs esprits. Ils grimpent dans leur voiture, qui démarre en trombe.

À cet instant, une voiture de police apparaît au bout de la

rue, sa sirène allumée. Stella désigne la rue inondée.

— Je crois qu'on ferait mieux de filer, nous aussi ! dit-elle.

Quel échec ! Non seulement nous n'avons pas arrêté les voleurs, mais en plus, nous avons provoqué des dégâts. De retour chez nous, nous câlinons nos peluches magiques pour nous remonter le moral.

À la radio, la musique s'interrompt pour un bulletin d'informations :

— Aujourd'hui, à Gardenia, les voleurs acrobates s'en sont

pris à une bijouterie du centre-ville, annonce le journaliste. Plusieurs témoins affirment avoir vu des jeunes filles ailées jeter des sorts. Est-ce une hallucination collective ? Une stratégie publicitaire ? Qui sont ces jeunes

filles ? Et pourquoi ont-elles dis-
paru à l'arrivée de la police ?

Nous échangeons des regards
catastrophés.

— Oh ! là là ! s'exclame Musa.
On nous prend pour une pub !

— C'était une bêtise de s'en-
fuir, reconnaît Stella. On aurait
mieux fait de s'expliquer avec
la police au sujet de la pompe à
incendie.

Roxy tente de nous réconforter.

— Vous avez fait de votre
mieux ! La prochaine fois, je
suis sûre que vous réussirez.
Bon, c'est l'heure de rentrer
chez moi. À demain, les Winx !

Elle nous salue et s'en va. Ce n'est pas parce que Roxy est une fée qu'elle ne doit plus aider son père au Bar de la Plage.

Un peu plus tard, la porte s'ouvre sur Layla.

— Coucou, les filles ! lance-t-elle joyeusement. J'ai une merveilleuse nouvelle à vous annoncer !

Stella grommelle :

— Nous aussi, on a des nouvelles, mais elles ne sont pas bonnes du tout...

— Qu'est-ce qu'il y a ? la taquine Layla. Tu as perdu la dernière paire de chaussures que tu as achetée ?

Très énervée, Stella répond du tac au tac :

— Je sais ce que j'ai perdu : une amie !

Layla fronce les sourcils.

30

— Qu'est-ce que tu veux dire ?

— Si tu passais moins de temps à roucouler avec Nabu, tu saurais ce qui nous arrive !

Cette fois, Layla est vraiment en colère.

— Stella, tu es jalouse !

s'écrie-t-elle. Parce qu'on est follement amoureux, Nabu et moi, tandis que Brandon et toi...

Musa s'interpose.

— Hé, c'est pas le moment de vous disputer...

Mais nos amies sont trop fâchées pour l'écouter. Elles parlent en même temps.

— J'ai toujours été là quand on avait besoin de moi ! proteste Layla.

— Brandon est amoureux de moi ! s'exclame Stella.

Avant qu'on puisse la retenir, Layla se dirige vers l'entrée :

— Je ne mérite pas ces remarques stupides. Alors tant pis pour la super nouvelle que je voulais vous annoncer !

Et elle s'en va en claquant la porte.

Chapitre 3

La prise d'otage

Le lendemain, au réveil, Stella vient me trouver, mal à l'aise :

— Tu sais, Bloom, je ne voulais pas faire de peine à Layla. C'est à cause de cette mission sur Terre... Ça me rend nerveuse. Les Terriens sont tellement difficiles à comprendre ! Ils ne croient pas aux fées, ils préfèrent croire aux pubs !

— Je sais, Stella. Mais Layla voulait nous dire quelque chose d'important pour elle. Et on ne l'a pas écoutée… Elle doit avoir de la peine.

— Et si on préparait une petite fête surprise pour son retour ?

— Excellente idée !

Un peu plus tard, Stella, Flora, Musa, Tecna et moi traversons le centre commercial, les bras chargés de provisions. Des

sirènes de police retentissent
au-dehors. C'est sûrement un
nouveau cambriolage. Je pose
mes paquets par terre.

— Les Winx, préparez-vous !

Flora pousse un gros soupir.

— Je ne sais pas, Bloom.

Peut-être qu'il serait plus rai-
sonnable de laisser les policiers
s'en occuper…

— Sinon, on va encore provo-
quer une catastrophe, l'ap-
prouve Musa.

— Vous avez raison, dis-je
tristement.

C'est alors que, sous nos yeux,
plusieurs hommes cagoulés sortent d'un magasin, de gros sacs
sur les épaules. Nous reconnais-
sons les voleurs acrobates aux-
quels nous avons déjà eu
affaire.

À travers la baie vitrée, nous
voyons les voitures de police

bloquer l'entrée du centre commercial. L'un des voleurs panique.

— La police est déjà là !

— Ne t'inquiète pas, lui dit son complice. On va s'en sortir. Grâce… à un otage !

Il saisit par le bras une jeune femme, qu'il force à rester devant eux. Comme ça, la police n'osera pas les attaquer. Pendant ce temps, tous les autres clients s'échappent du centre commercial.

Dehors, un porte-voix se met à hurler :

— Police ! Vous êtes cernés !

Relâchez cette femme et sortez, les mains en l'air !

Le voleur qui tient l'otage la pousse devant lui.

— Laissez-nous passer ! Sinon, il va lui arriver malheur !

Terrorisée, la pauvre femme se débat en hurlant :

— Non ! Non ! Lâchez-moi !

Cette fois, mes amies et moi ne pouvons pas rester sans agir ! Nous rassemblons nos pouvoirs magiques.

— Winx Believix !

Nous essayons d'encercler les voleurs. Notre objectif est de les maîtriser sans blesser l'otage.

Mais ils ne tiennent pas en place et bondissent de tous les côtés.

— Si on utilisait le sortilège d'attaque groupée ? suggère Flora.

— On risquerait de tout casser dans le centre commercial,

fait remarquer Tecna. Et après, les Terriens vont encore nous en vouloir ! Non, débrouillons-nous autrement.

À cet instant, une fée arrive en volant : c'est Layla !

— Décidément, les filles, on dirait que je ne peux pas vous laisser seules deux minutes, lance-t-elle en riant.

Stella se précipite vers elle.

— Pardonne-moi, Layla ! J'ai été vraiment injuste avec toi.

— Et moi, très égoïste.

Elles se jettent dans les bras l'une de l'autre, heureuses de se réconcilier.

— Hé, je vous rappelle qu'il y a une prise d'otage, quand même ! intervient Tecna.

— Laissez-moi faire, dit Layla.

La fée des sports se concentre sur son pouvoir de Believix, qu'elle dirige vers l'otage.

— Esprit de courage !

Nous sommes stupéfaites. La jeune femme cesse de se débattre et d'appeler au secours. Elle rassemble toutes ses forces. Et brusquement, elle effectue une prise de judo, impeccable, faisant basculer le voleur par-dessus son épaule. Elle a réussi à se libérer !

Chapitre 4

Une première victoire

Profitant de l'effet de surprise, mes amies et moi enveloppons les voleurs acrobates, enfin immobiles, d'une énorme vague de bonté et de sympathie. Et ils perdent toute leur agressivité !

— Pas possible… s'exclame l'un d'entre eux. Est-ce que vous êtes vraiment des fées ?

Puisque l'otage est libre, les policiers se précipitent à l'intérieur du centre commercial. Ils maîtrisent les voleurs et leur passent les menottes.

— Vous êtes en état d'arrestation !

Puis ils se tournent vers nous.

— Vous aussi, mesdemoiselles !

Zut, alors ! On dirait qu'ils nous prennent pour des complices. Comment nous sortir de ces nouvelles complications ?

Stella lance son pouvoir de Believix sur les policiers.

— Soleil levant ! Il est de la couleur de votre âme…

Sous l'effet de la magie, les visages s'attendrissent.

— Alors, vous êtes des fées ?

— C'est merveilleux !

— Merci pour votre aide !

Ouf ! Mes amies et moi sortons du centre commercial, applaudies par la foule. Et bientôt, ce sont des journalistes qui nous entourent, pressés de connaître les moindres détails de notre aventure.

Cette fois, on dirait que certains humains se sont mis à croire aux fées !

Au Bar de la Plage, nous fêtons la première victoire de cette délicate mission sur Terre. Les Spécialistes, qui y travaillent comme serveurs, nous apportent des cocktails de fruits. Ils sont délicieux et nous les avons bien mérités.

Son ordinateur magique à la main, Tecna nous explique :

— Je viens d'analyser les résultats que nous avons obtenus depuis que nous possédons le pouvoir de Believix. Chaque fois que les Terriens n'ont pas eu confiance en nous, il n'a servi à rien…

Flora la félicite.

— Intéressante découverte, Tecna ! Nous savons maintenant qu'il ne suffit pas d'agir pour le

bien des gens. Il faut aussi gagner leur confiance.

Mais pendant que nous discutons, Sky se dirige vers moi, l'air mécontent. Il attrape ma main.

— Bloom ! Qu'est-ce que c'est, cet anneau que tu portes au doigt ?

Je me mets à rire.

— Ne t'inquiète pas, ce n'est pas une bague de fiançailles ! Il s'agit du Cercle Blanc. Il contient la magie de toutes les fées de la Terre que les sorciers du Cercle Noir ont emprisonnées. Ils vont sûrement essayer de le récupérer. Et pour l'instant, son pouvoir est beaucoup trop puissant pour Roxy. C'est pour la protéger que je le porte.

Rassuré, Sky repart servir des clients. Stella nous lance un clin d'œil et regarde Layla.

— Je me trompe, ou quelqu'un avait une nouvelle à annoncer ?

Layla rougit.

— Oui, moi. Nabu m'a demandé… de l'épouser !

— C'est super, Layla !

Nous l'entourons pour la féliciter et lui dire notre bonheur. Hélia, qui passait et a entendu la nouvelle, s'approche de Nabu.

— Tu n'aurais pas quelque chose à nous dire ?

Mais Nabu semble tout gêné. Même s'il est très amoureux de Layla, il n'a pas du tout envie de parler de sujets aussi personnels avec ses amis !

Chapitre 5

Un sort extraordinaire

Roxy se précipite vers nous,
toute joyeuse et surexcitée.

— Les Winx, j'ai une surprise
pour vous !

Son chien Artu traverse la
salle sur ses talons. L'air très
digne, il se plante devant moi.

— Bonjour, Bloom.

J'en reste bouche bée quelques secondes, avant d'éclater de rire.

— Bravo, Roxy ! Il ne manquait que la parole à ton chien !

— Malheureusement, le sortilège ne dure pas très longtemps.

La dernière fée de la Terre gagne en assurance, c'est formidable ! Elle me rappelle comment j'étais, il y a quelques années, lorsque j'ai commencé à étudier la magie.

Bientôt, il est temps de revenir au magasin et d'y retrouver

nos clients. Chaque jour, ils sont plus nombreux à venir nous demander des conseils au sujet des animaux magiques. Nous leur montrons comment les nourrir, les soigner, leur apprendre des tours... Beaucoup d'amour, voilà la clef d'un apprentissage réussi !

— Quel dommage que ces adorables peluches ne parlent pas !

Je me retourne. C'est Artu, le chien de Roxy.

— De ta part, Artu, je trouve cette réflexion surprenante !

— Tu trouves, Bloom ? C'est tellement agréable pour moi de pouvoir aboyer comme un humain ! Je me fais beaucoup mieux comprendre.

Kiko, mon lapin bleu, hausse les épaules avant d'aller bouder dans un coin. Le pauvre ! Il est jaloux du nouveau pouvoir d'Artu.

— Coucou ! dit une petite voix derrière moi.

— Vas-y, toi, murmure une autre.

— Non, moi, je suis trop timide, continue une troi- sième.

Très intriguée, je regarde par- tout autour de moi. Je ne vois personne. Soudain, je com- prends et je m'exclame sur le ton de la plaisanterie :

— Tiens, tiens… Qui se cache dans le magasin ? Une bande de jeunes voleurs ?

Les petites voix paniquent.

— Des voleurs !

— Au secours !

— Est-ce qu'ils vont nous kidnapper ?

Un petit groupe d'animaux magiques sort de derrière les meubles. Incroyable ! Eux aussi parlent, désormais !

Kiko se précipite vers moi et dit, tout content :

— Bloom, enfin, je peux te dire tout ce qui me passe par la tête ! Je rêve de ce moment depuis si longtemps...

Je serre mon lapin bleu dans mes bras.

— Quel bonheur, Kiko ! Parle-moi encore.

Le lapin se gratte la tête.

— Euh... Quand est-ce qu'on mange ?

Je ris. Cette pensée de Kiko, j'aurais pu la deviner même

s'il n'avait pas pu l'exprimer !

Je rejoins Roxy à l'autre bout du magasin.

— Merci pour ce beau cadeau ! Les peluches magiques et Kiko qui parlent... C'est une merveilleuse surprise.

— Je suis contente que ça te plaise, Bloom. Mais n'oublie pas que le sortilège est de courte durée.

— Tu as fait beaucoup de progrès en tant que fée des animaux !

Mon amie rougit de plaisir.

— Merci. Je t'avoue que mes

pouvoirs de fée me font pourtant encore un peu peur. Je me demande si, un jour, je m'accepterai totalement comme fée.

— Je comprends très bien ce sentiment. Tu sais, Roxy, j'ai

vécu exactement la même chose. Moi, ce sont mes parents adop- tifs qui m'ont beaucoup aidée... L'amour qu'ils m'ont donné m'a permis de prendre confiance en moi. Peut-être devrais-tu avoir une discussion sérieuse avec Klaus, ton père ?

— Je ne sais pas. Ça va le bou- leverser...

— Mais il sera fier de toi.

— En tout cas, je te promets d'essayer, Bloom.

Chapitre 6

Ce que Bloom ne sait pas

Quand Roxy rentre chez elle, accompagnée d'Artu, son père est confortablement installé dans le canapé du salon. Les pieds sur la table basse, il lit son journal.

— Bonjour Papa, je peux te

parler ? demande Roxy avec une certaine solennité.

— Toi, on dirait que tu as fait une bêtise…

— Je n'ai fait aucune bêtise. Je veux juste te parler de quelque chose d'important pour moi.

— Je t'écoute.

— Prépare-toi, Papa. C'est très surprenant. Mais tu vas être fier de moi. Voilà… je suis une fée.

Mais Klaus ne lève même pas le nez de son journal.

— Je vois. Très intéressant.

— Papa, je suis *vraiment* une

fée ! C'est vrai que mes pouvoirs ne sont pas encore tout à fait au point…

Elle se concentre sur un pot de fleurs qu'elle veut faire voler dans les airs jusqu'à son père. Mais elle ne réussit pas à

maintenir le sortilège assez longtemps. Et la plante s'écrase au sol.

Klaus sursaute et, cette fois, regarde sa fille.

— Qu'est-ce que je suis censé admirer ? demande-t-il.

Sans se laisser décourager, Roxy se tourne vers son chien.

— À toi de jouer, Artu.

Celui-ci ouvre sa gueule et dit :

— N'ayez pas peur, monsieur Klaus. Comme vous le constatez,

je parle. C'est grâce à la magie de Roxy.

Klaus contemple sa fille, l'air pas du tout surpris par ce qui vient de se passer.

— Un chien qui parle, c'est tout ?

Cette fois, Roxy se fâche.

— Papa ! Pourquoi es-tu aussi indifférent ?

— Parce que je sais faire beaucoup mieux que ça !

Et sous les yeux ébahis de sa fille, Klaus se transforme en... Duman, l'un des sorciers du Cercle Noir ! Artu gronde et montre les dents.

— Duman, qu'est-ce que tu as fait de mon père ? s'écrie Roxy, très inquiète.

— Ne te fais pas de souci, répond le sorcier en ricanant. Tu vas bientôt le savoir, puisque tu ne vas pas tarder à le rejoindre.

Et voilà les trois autres sorciers qui apparaissent : Ogron, Anagan et Gantlos. En quelques sorts, ils ligotent et bâillonnent la pauvre Roxy, malgré sa résistance.

Artu veut défendre sa maîtresse. Mais comme elle peut communiquer avec lui par la pensée, elle l'en dissuade.

« Ils sont trop forts pour toi tout seul. Sauve-toi, Artu ! Et va chercher du secours... »

Heureusement, le chien lui obéit. Trop contents d'avoir attrapé la dernière fée de la Terre, les sorciers le laissent s'échapper de la maison.

Chapitre 7

Les ailes Tracix

Depuis qu'elles ont la parole, les peluches magiques n'arrêtent pas de bavarder. Elles nous cassent les oreilles en jacassant toutes en même temps.

Le chien Artu arrive en courant dans le magasin.

— Bloom ! aboie-t-il. Roxy est en grand danger ! Elle a été capturée par les sorciers du Cercle Noir !

— Quoi ? Les Winx, vite !

Malgré nos clients qui protestent, nous nous dépêchons de fermer le magasin. Artu est tellement épuisé que nous le confions à Kiko et aux peluches magiques.

Je le caresse pour le calmer.

— Reprends tranquillement des forces. Nous allons secourir ta maîtresse.

Puis nous rassemblons nos pouvoirs de Believix. Grâce à

nos ailes Speedix, nous arrivons
très vite dans la maison de Klaus
et Roxy. Le salon est sens des-
sus dessous, signe qu'une
bataille y a eu lieu. Mais aucun
indice ne nous permet de savoir
où sont passés les sorciers du

Cercle Noir et leur prison-
nière.

— Et si nous essayons nos
ailes Tracix ? suggère Flora.
Vous vous souvenez qu'elles
permettent de regarder dans le
passé ?

Après quelques coups d'ailes
vers l'heure précédente, nous
voyons notre amie se débattre,
puis les sorciers la ligoter.

— Qu'allez-vous faire de moi ?
demande-t-elle avant d'être
bâillonnée.

Ogron ricane.

— Ha ha ha ! T'échanger,
bien sûr ! Ou du moins, le laisser

croire à tes amies. Tu sais que les sorciers tiennent rarement leurs promesses...

Et les sorciers l'entraînent au-dehors.

Nos ailes Tracix ne nous permettent pas de les suivre, alors nous revenons dans le présent. Une image d'Ogron apparaît sur le mur.

— Écoutez-moi, petites Winx ! s'exclame-t-il. Je sais que vous allez venir ici dans l'espoir de retrouver votre amie. Mais c'est au Bar de la Plage que vous devez aller. Vous y trouverez Duman qui a pris l'apparence de Klaus. Donnez-lui l'anneau du Cercle Blanc. Si vous voulez revoir votre amie vivante, n'essayez surtout pas de nous tendre un piège !

L'image s'évanouit. Musa pousse un gros soupir.

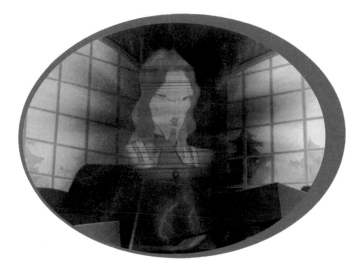

— Les sorciers ont bien choisi leur lieu. Le Bar de la Plage est beaucoup trop fréquenté pour qu'on y attaque Duman. On risquerait de blesser les clients.

Je contemple l'anneau du Cercle Blanc.

— Vous l'avez entendu comme moi : Ogron n'a pas l'intention de tenir sa promesse d'échange. Il va donc falloir être plus malignes que lui !

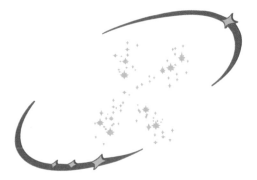

Chapitre 8

Ce que Bloom ne sait pas

Dès qu'Artu se sent mieux, il file vers l'entrée du magasin. Kiko se précipite dans la rue derrière lui.

— Où tu vas ?

— Secourir ma meilleure amie !

La truffe au ras du sol, le chien part à la recherche de Roxy. Aussitôt, il est suivi par le lapin bleu et plusieurs animaux magiques.

— Qu'est-ce que vous faites là ? leur demande-t-il. Vous ne devez pas quitter le magasin !

— Bloom t'a confié à moi, lui rappelle Kiko. Alors, on t'accompagne.

— C'est trop dangereux, vous risquez d'être blessés !

Mais les peluches et le lapin ne veulent rien entendre.

À force de parcourir Gardenia,

Artu finit par retrouver la trace de Roxy. Celle-ci les conduit dans le port, jusqu'à un grand hangar qui abrite des voiliers. Sur l'un des murs, se trouve une fenêtre avec un carreau brisé.

Prenant bien garde de ne pas

faire de bruit, Artu, Kiko et les animaux magiques regardent à l'intérieur. Ils découvrent Roxy et Klaus, assis par terre et ligotés. Les prisonniers sont surveillés par Gantlos, qui est assis sur une caisse un peu plus loin.

Seule Roxy est bâillonnée. Bien qu'elle ne puisse pas lui répondre, Klaus lui parle à voix basse pour la rassurer :

— Je me demande qui sont ces gens. Et ce qu'ils nous veulent. Mais ne t'inquiète pas, ma

82

chérie. Je vais trouver un moyen de nous libérer.

« Pauvre Papa, pense alors sa fille. Dans quoi est-ce que je l'ai entraîné ? »

Soudain, Gantlos remarque quelque chose d'anormal… L'ombre d'une fée !

Vite, il communique par ondes magiques avec les autres sorciers du Cercle Noir, qui sont au Bar de la Plage.

— Revenez vite ! Les Winx attaquent !

— Impossible ! lui répond sèchement Ogron. Elles sont ici, avec l'anneau du Cercle

Blanc. Elles croient qu'on va l'échanger contre Roxy.

Rassuré, Gantlos se lance à la poursuite de l'ombre derrière les caisses du hangar. Et il découvre… Kiko et les animaux magiques déguisés, qui faisaient diversion !

Pendant ce temps, Artu libère Roxy de ses liens et de son bâillon. À son tour, celle-ci délivre son père. Mais Gantlos revient déjà, furieux. Pour protéger sa maîtresse, Artu se jette sur le sorcier.

Gantlos l'arrête alors d'un sort tellement puissant…

qu'Artu s'écroule ! Roxy s'age-
nouille près de lui. Hélas, son
chien ne respire plus !

La fée des animaux se met à
pleurer.

— C'est juste un chien, dit
Gantlos en haussant les épaules.

— Juste un chien !

Ces paroles emplissent Roxy d'une colère terrible. Si terrible qu'une force immense l'envahit. Des ailes merveilleuses lui poussent dans le dos. Et elle se met à voler sans effort.

Son père écarquille les yeux.

— Que se passe-t-il ?

— Je suis une fée, Papa ! lui crie Roxy.

Courageusement, elle se lance à l'attaque de Gantlos. Car ses pouvoirs ont énormément augmenté. Elle est maintenant capable d'affronter le Sorcier du Cercle Noir à égalité !

FIN

Bloom et ses amies sont prêtes pour de nouvelles aventures !

Dans le Winx Club 39 :
Une nouvelle mission

Avec l'aide des Winx et des Spécialistes, Roxy échappe finalement aux sorciers du Cercle Noir. Mais choquée par ce qui s'est passé, elle refuse de voir les Winx. Et si elle ne voulait plus être une fée ?

Pour connaître la date de parution de ce tome, inscris-toi vite à la newsletter du site :

www.bibliotheque-rose.com

Tu connais tous les secrets des Winx ?

Retrouve toutes les histoires de tes fées préférées
dans les livres précédents...

Saison 1

1. Les pouvoirs de Bloom

2. Bienvenue à Magix

3. L'université des fées

4. La voix de la nature

5. La Tour Nuage

6. Le rallye de la rose

Saison 2

 7. Les mini-fées

 8. Le mariage de Brandon

 9. L'étrange Avalon

 10. À la poursuite du Codex

 11. Sur la planète du prince Sky

 12. Que la fête continue !

13. Alliance impossible

14. Le village des mini-fées

15. Le pouvoir du Charmix

16. Le royaume de Darkar

Saison 3

17. La marque
de Valtor

18. Le Miroir
de Vérité

19. La poussière
de fée

20. L'arbre
enchanté

21. Le sacrifice
de Tecna

22. L'île aux
dragons

23. Le mystère
Ophir

24. La fiancée
de Sky

25. Le prince
ensorcelé

26. Le destin
de Layla

27. Les trois
sorcières

28. La magie
noire

29. Le combat
final

Saison 4

30. Les chasseurs
de fées

31. Le secret
des mini-fées

32. Les animaux
magiques

33. Une fée
en danger

34. Le pouvoir
du Believix

35. La magie
du Cercle Blanc

36. La vengeance
de Nebula

37. Le rêve
de Musa

Les aventures les plus magiques
des Winx
dans trois compilations !

**6 histoires magiques
de la saison 1**

**6 histoires féeriques
de la saison 2**

**6 histoires incroyables
de la saison 3**

L'histoire extraordinaire
de Bloom
enfin révélée !

Le roman du film
Le Secret du Royaume Perdu

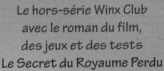

Le hors-série Winx Club
avec le roman du film,
des jeux et des tests
Le Secret du Royaume Perdu

Le roman du spectacle
Winx on Ice

Winx Club

Retrouve tes fées préférées dans Ludo !

france 3

monludo.fr

Table

Composition **Nord Compo** – Villeneuve d'Ascq

Imprimé en France par Jean Lamour – Groupe Qualibri
Dépôt légal : juillet 2011
20.20.2317.4/01 – ISBN 978-2-01-202317-8
Loi n° 49-956 du 16 juillet 1949
sur les publications destinées à la jeunesse

Table

Composition **Nord Compo** – Villeneuve d'Ascq

Imprimé en France par Jean Lamour – Groupe Qualibris
Dépôt légal : juillet 2011
20.20.2317.4/01 – ISBN 978-2-01-202317-8
Loi n° 49-956 du 16 juillet 1949
sur les publications destinées à la jeunesse